J'aime mon papa pirate

J'aime mon papa pirate

Laura Leuck

Illustrations de Kyle M. Stone

Texte français d'Hélène Pilotto

Éditions
SCHOLASTIC

J'adore mon papa pirate!
C'est le plus brave boucanier de la terre.
Avant le départ, il fixe ma boucle d'oreille
et m'aide à préparer mes petites affaires.

Nous levons l'ancre au petit matin
et hissons notre pavillon haut dans le vent.
La tête de mort doit être visible de loin
pour effrayer tous les marins de l'océan.

J'apprends à marcher sur le plat-bord
et à sauter sur les genoux de papa.

S'il me montre sa carte au trésor,
je trouve la lettre X chaque fois.

Il m'apprend à grimper, grimper, grimper
jusqu'en haut du grand mât si long!

Et quand nous voyons la berge, au loin,
se dessiner, c'est moi qui crie aux matelots :

« TENEZ
BON! »

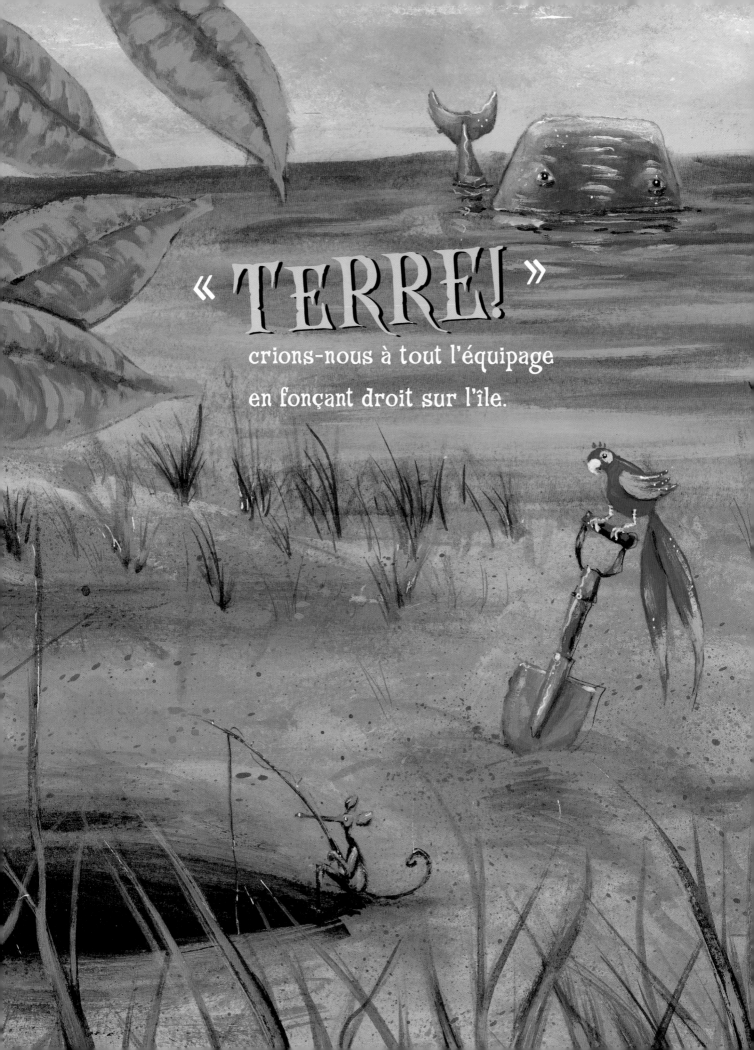

« TERRE! »
crions-nous à tout l'équipage
en fonçant droit sur l'île.

Un trésor est enfoui dans les parages.
On le déterre et on l'emporte. Facile!

Une fois de retour sur le pont,
papa partage le butin entre les marins.
Il me garde un petit sac d'écus bien rond
que je cours aussitôt cacher dans un coin.

Puis, c'est à la cuisine que papa me conduit,
en compagnie de tout l'équipage.
Si jamais nous trouvons le chef endormi,
nous le réveillons en faisant du tapage.

De boustifaille et de jus de raisin

nous nous empiffrons encore et encore.

Puis nous faisons un concours entre copains

pour savoir lequel rotera le plus FORT!

Et quand, dans la mer, le soleil disparaît,
mon papa pirate apprête mes couvertures.

Il sort de ma malle le livre du Capitaine Crochet
et me lit sans attendre de terribles aventures.

Puis, il baisse la lumière de ma lampe,

me fait un bisou sans chichi

et, juste avant de quitter ma chambre,

à l'oreille, il me dit :

« Toute ma vie, j'ai écumé les mers.

Mes trésors me procurent de grandes joies...

... mais tu es de loin
ce que j'ai de plus cher,

mon petit pirate à moi. »

A mon adorable famille...
Maman oiseau, Sophie oiseau
et Ava Louise, notre oisillon.
— K. S.

Catalogage avant publication de Bibliothèque et Archives Canada

Leuck, Laura

J'aime mon papa pirate / Laura Leuck ; illustrations de Kyle M. Stone ;
texte français d'Hélène Pilotto.

Traduction de: I love my pirate papa.
Niveau d'intérêt selon l'âge: Pour les 3-8 ans.

ISBN 978-0-545-98153-8

I. Stone, Kyle M. II. Pilotto, Hélène III. Titre.

PZ23.L475Ja 2009   j813'.54   C2009-900564-6

Édition publiée par les Éditions Scholastic, 604, rue King Ouest, Toronto (Ontario) M5V 1E1

6 5 4 3 2   Imprimé au Canada 119   11 12 13 14 15

Les illustrations de ce livre ont été réalisées à l'acrylique et à l'aide de techniques mixtes
sur du papier Arches 300 lb pressé à chaud.

Les caractères du titre ont été créés par Tom Seibert.

Le texte a été écrit avec la police de caractères Captain Kidd et Fink.

La sélection des couleurs a été réalisée par Bright Arts Ltd., Hong Kong.

La conception graphique est d'April Ward.